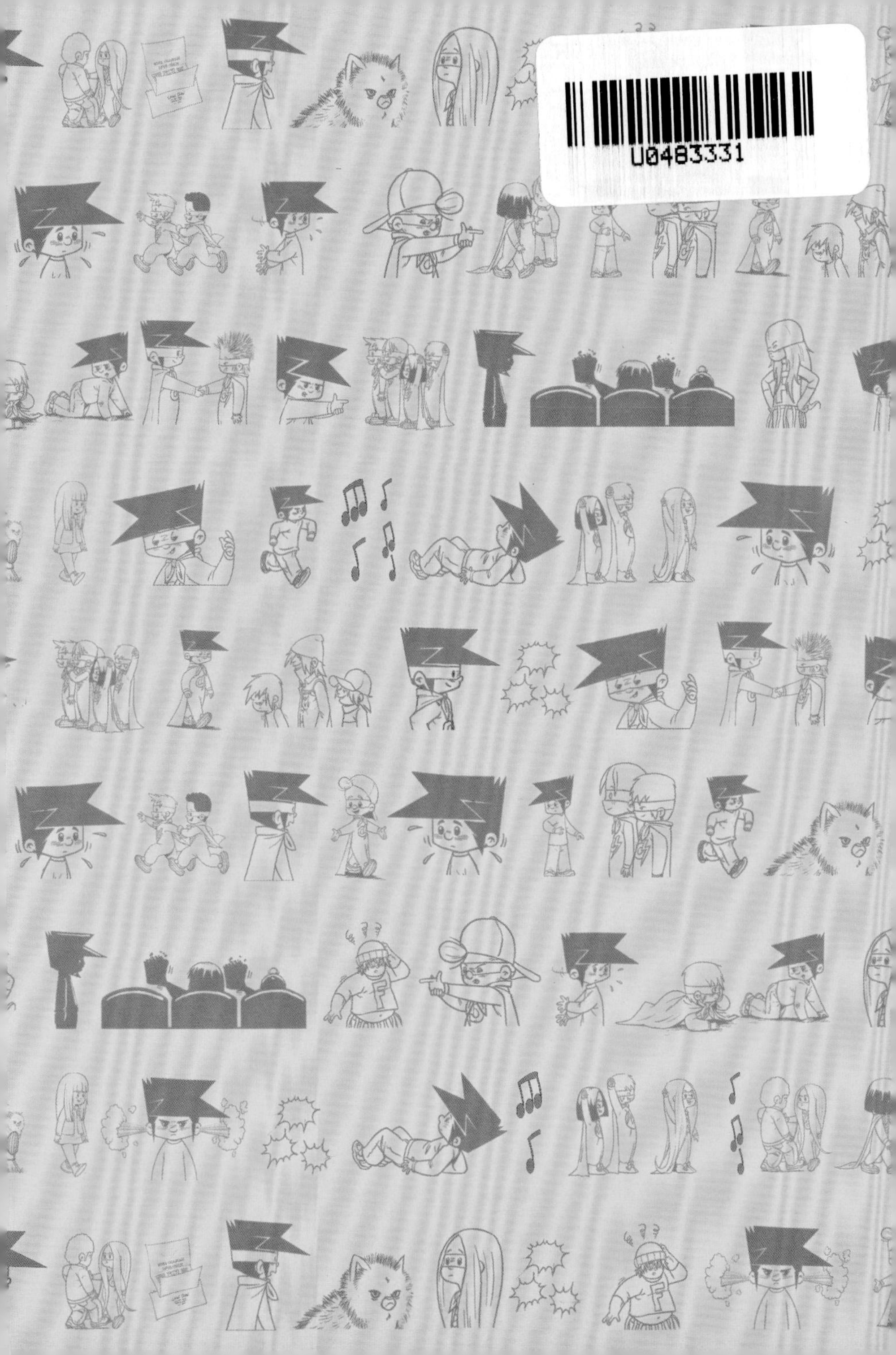

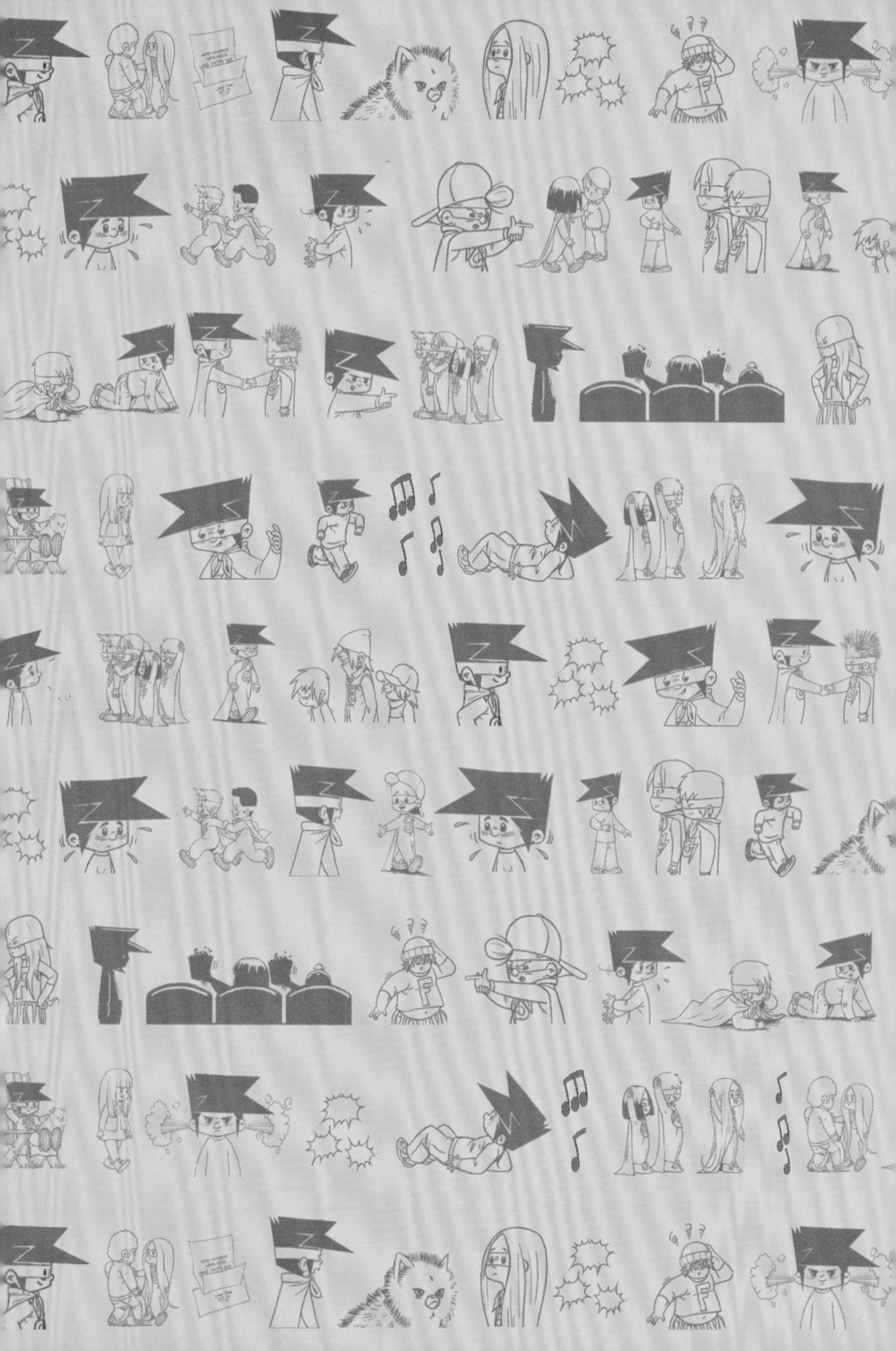

静电超人

7

了不起的新英雄

[加拿大]阿兰·M.贝杰隆 / 著
[加拿大]桑帕尔 / 绘
余 轶 / 译

天津出版传媒集团
新蕾出版社

图书在版编目（CIP）数据

了不起的新英雄 /（加）阿兰·M.贝杰隆
(Alain M. Bergeron) 著；（加）桑帕尔 (Sampar) 绘；
余轶译. -- 天津：新蕾出版社，2023.11
（静电超人；7）
ISBN 978-7-5307-7618-6

Ⅰ.①了… Ⅱ.①阿… ②桑… ③余… Ⅲ.①儿童故事—图画故事—加拿大—现代 Ⅳ.①I711.85

中国国家版本馆 CIP 数据核字(2023)第 148015 号

Original French title: Capitaine Static – Les FanaTICs!
Author: Alain M. Bergeron
Illustrated by: Sampar
Copyright © 2015, Editions Québec Amérique inc.
Simplified Chinese translation copyright © 2023 by New Buds Publishing House (Tianjin) Limited Company arranged through Wubenshu Children's Books Agency.
ALL RIGHTS RESERVED
津图登字：02-2022-084

书　　名	了不起的新英雄　LIAOBUQI DE XIN YINGXIONG
出版发行	天津出版传媒集团 新蕾出版社 http://www.newbuds.com.cn
地　　址	天津市和平区西康路 35 号（300051）
出 版 人	马玉秀
电　　话	总编办 (022)23332422 发行部 (022)23332351　23332679
传　　真	(022)23332422
经　　销	全国新华书店
印　　刷	天津海顺印业包装有限公司
开　　本	889mm×1194mm　1/32
字　　数	31 千字
印　　张	1.75
版　　次	2023 年 11 月第 1 版　2023 年 11 月第 1 次印刷
定　　价	22.00 元

著作权所有，请勿擅用本书制作各类出版物，违者必究。
如发现印、装质量问题，影响阅读，请与本社发行部联系调换。
地址：天津市和平区西康路 35 号
电话：(022)23332677　邮编：300051

本书根据罗贝尔·苏里埃尔和哥伦布·拉邦德的创意编写。

静电超人绝密档案

名字：查理·西马

真实身份：一名普通的小学四年级男孩

装备

- 尼龙材质的钢蓝色超人服
- 红色披风 
- 红色眼罩 
- 黄绿相间的羊毛拖鞋 

超能力：静电攻击

粉丝团：电粉团

超能力秘密来源：拖着脚走路

温馨提示
! 千万不要让静电超人碰衣物柔顺剂！！

警告

谁摩擦,谁起电!

——静电超人的格言

第 1 章

事情本该如此。

这完全顺理成章。

我甚至觉得早该这样。

——你们不明白我在说什么?

当然是说成立静电超人粉丝团的事,我们姑且称它为"电粉团"吧。电粉团的成立,意味着我拥有自己的粉丝俱乐部了!

还有谁比弗雷德更有资格做第一名"电粉"呢?

就连真诚谦逊的我也不得不承认,他说得有道理。

我不知道超人在斯摩维尔、蝙蝠侠在哥谭市拥有多少粉丝。我嘛，光是在我的城市，就已经拥有七个粉丝啦！这还不包括弗雷德在内！

他们自诩为"八大电粉"。

这不，他们就站在我面前，聚集在弗雷德家的地下室里。弗雷德的姐姐、我们学校的校花佩内洛普，不算在这个严选的电粉团里——这样更好，她不是我的粉丝，而是我的好朋友，请读者朋友们注意区分。

大家可能以为八大电粉都是男孩子。其实不然。电粉团里还有三个女孩，其中包括非常崇拜我的凯莉。

这些成员都是弗雷德在学校里招募的。当然，弗丽斯小姐和大乔并没有报名……

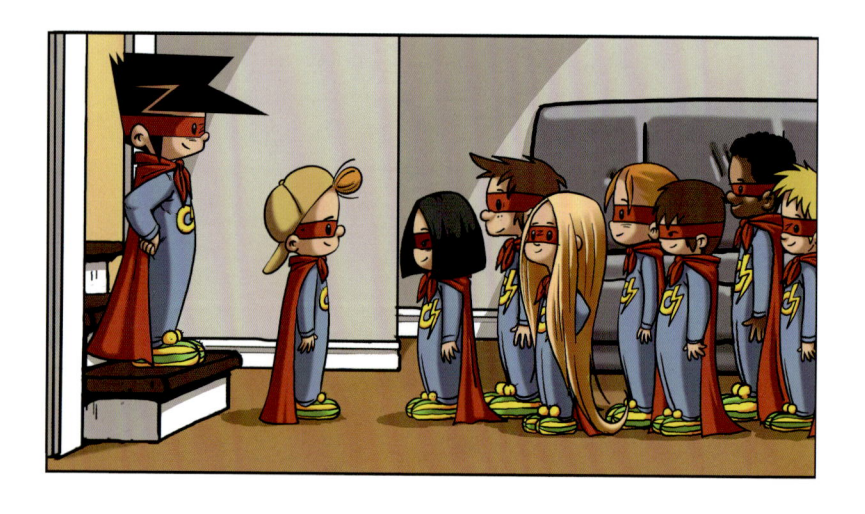

为了吸引更多的电粉加入，弗雷德答应每月为电粉们出一份《静电超人月讯》，传达"我们无与伦比的超级英雄"（我引用他们的原话）的最新消息。其实我个人更倾向于出周讯，因为我几乎每周都有新战绩。

加入电粉团的电粉，都能获赠一张静电超人贴纸，以及注明个人姓名的静电超人海报。在月讯撰文方面，弗雷德可以找他妈妈帮忙，因为她受不了弗雷德的持续施压和没完没了的纠缠。为了感谢弗雷德，我打算教他如何模仿我的签名——我可不想因为不断为电粉签名而劳损手腕。身为超级英雄，我还要用手腕做更重要的事情。我这个提议让弗雷德兴奋不已。

雷让,也就是弗雷德的父亲,也非常支持我们。他是音乐家,特意为我创作并录制了一首歌。我没法儿在这里唱给你们听,但你们可以去网上搜搜,歌名是《静电超人之歌》。歌词如下:

谁是这个了不起的新英雄?
静电超人,静电超人!
快来了解他的全新超能力,
准备感受如电流般的刺激。
他只要动动手指,
就会发生奇迹……

静电超人,他就是静电超人!
谁摩擦,谁起电!
静电超人,他就是静电超人!

在弗雷德妈妈和我妈妈的共同帮助下,弗雷德还为每一个电粉提供了一套便携式静电超人服:可以系在脖子上的红披肩、红眼罩、黄绿相间的拖鞋(由我外婆编织),还有一块用来摩擦起电的地毯。

所有这些东西都可以装进一个小背包里,方便携带。

我们还发明了一种秘密握手方式,我就不公开细节了。想要了解详情,报名加入电粉团即可。

今天是电粉们的首次聚会,我要"接见"电粉团的全体成员。但愿他们不会因为亲眼见到我本人而热泪盈眶,因为我不太擅长应对那样的场面。

为了纪念这场将载入史册的会面,我们用自创的秘密方式握手。

在大家的一致要求下,我给每人发射了一道强度适中的电流,足以让他们头发竖起,但一点儿也不疼。

趁此机会，我还让每个电粉都记住了我们的口号：谁摩擦，谁起电！

> 我可以穿一下你的拖鞋吗？

> 这……

我不想让别人穿我的鞋子，我担心这会带来厄运。

> 下次吧！

从她的眼神可以看出来，她非常失望。

电粉见面会结束了。遗憾的是,从始至终都没有人热泪盈眶。我准备回家。虽然仪式结束了,但超级英雄的任务永远不会结束。

要不然……

何乐而不为呢?

你们想不想给你们的静电超人帮个忙?

想!!!

那好,跟我来……

几分钟后,罗埃尔夫人在她家花园里看到了奇怪的一幕。

几个"静电超人"正在清扫落叶,在一旁监工的正是静电超人本尊。他正舒舒服服地坐在一张椅子上,抚摸着牛顿三世的头。在静电作用下,牛顿三世猫毛直立。

我口渴了,有谁愿意给我拿点儿饮料吗?

包括凯莉在内的两个电粉迅速冲进了罗埃尔夫人家中。另一个电粉一边清扫落叶，一边用崇拜的眼神看着我。

虽然我是超级英雄，但我并没有要求电粉对我以"您"相称。但是，正如你无法阻止一颗心产生爱意，我也不能阻止电粉对我使用敬语。

第2章

拥有粉丝的好处也体现在校园生活中。有一次,我让他们为我写作业——这当然也是为了让电粉们开心。

可是,后来我不得不向班主任帕提斯老师解释以下这些问题:

一、我的作业里错字连篇;

二、我的笔迹发生改变,像是有人在模仿我写字;

三、除了两道题以外,其他题都答错了;

四、作业署名是"电粉",后面还画了很多颗爱心。

回到家，我又把同样的解释重复给我父母听。好在超级英雄知道吸取教训。

这件事就算了……

电粉们有一万种方式表达他们的热忱，其中四个决定做我的保镖，在学校的走廊里保护我。

他们这种做法带来的远不是尊敬与崇拜，而是嘲笑与尴尬。因为电粉们太较真儿了，一旦有同学接近我，他们就会不由分说地把人推走。

他们的行为给我招来了讥讽和辱骂。大乔一伙趁机取笑我。

啊！静电超人，难道你还需要小宝宝的保护？

或者，他们是在过万圣节？

要不就是你雇的保镖在洗衣房缩水了？

他喜欢有苍蝇围着他转。对吧，苍蝇超人？

听到这些大不敬的话，电粉们迅速摆出作战姿势，用手指向敌人，大喊：

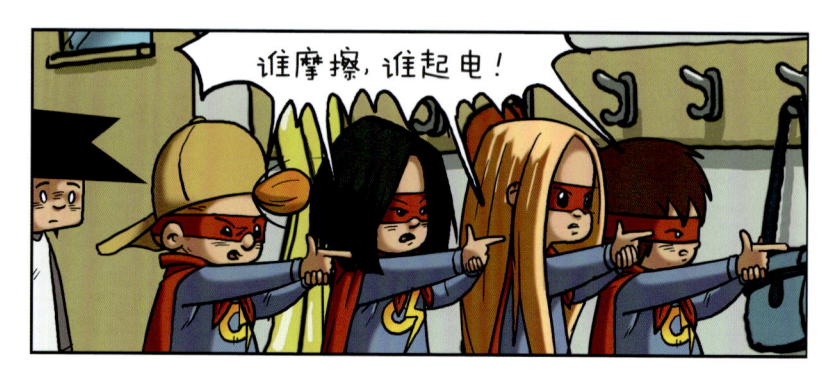

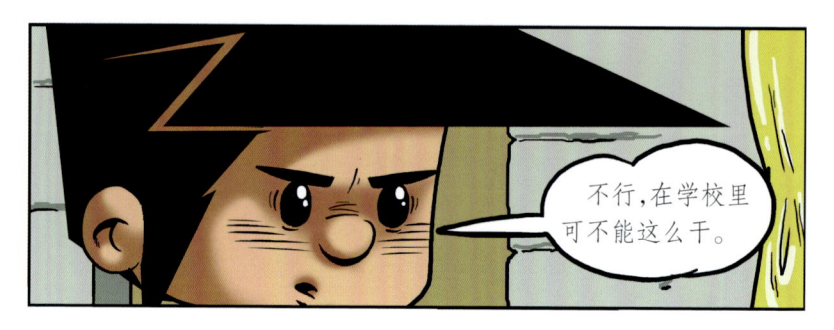

谁摩擦，谁起电！

怎么样？要不要电他们一下？

不行，在学校里可不能这么干。

与电粉们相反,我没有穿静电超人服。我一般会把静电超人服和拖鞋放进柜子里,尽量不以超人身份在校园里出现。再说,最近大乔也没怎么找我的麻烦。

你们就等着瞧吧!

你这么说真是把我们吓坏了。对吧,安吉利库库?

大乔,我跟你说过一千遍了,不要这样叫我!

你说得对。对不起,安吉利库库……

我们继续向前走。出了校园,电粉们还是紧跟着我。就连我和佩内洛普去看电影,他们也寸步不离。这可给我增添了不少麻烦。比如,我去给佩内洛普买爆米花,结果电粉们也说想吃。最后,我只好抱着好几桶爆米花,在电影院黑漆漆的过道里奔走。

放学的时候,电粉们经常为轮到谁给我背书包而争论不休,每次都是我出面调停。为了公平起见,我只好留心记住他们给我背书包的顺序,免得电粉之间产生摩擦。

我不想说电粉们的坏话,毕竟电粉们的初衷是为了我好。但是他们确实越来越让我感到心烦。这真是一个棘手的问题。

我想,也许这就是被人崇拜的代价。

这天放学后,我把电粉们叫到操场边集合。奇怪,弗雷德居然缺席了。

一个小女孩忙着穿披风,戴眼罩,因为老师不许她在上课的时候这样穿戴。

等她穿戴完毕,就伸出手指,大喊一声:"谁摩擦,谁起电!"

她这一喊,我敏锐的神经立刻进入戒备状态。是不是出现了紧急情况?

并不是。她高喊口号只是觉得好玩儿而已。其他电粉也跟着她学,大喊口号,吵得我头晕。

"有谁看见弗雷德了?"我低声问道,希望他们也像我一样小声说话。

"救命啊——"

呼救声是从学校垃圾站的方向传来的。

是弗雷德的呼救声!

看来他遇到麻烦了!

第3章

我立刻奔过去,根本没时间换上静电超人服。弗雷德的呼救声特别急迫,一刻也耽误不得。

可我刚迈开腿就被绊倒在地,膝盖和手肘都擦破了皮。原来是我踩到了某个电粉的长披风,他摔倒在地,把我也绊倒了。

我又气又急。

你们别再碍手碍脚的了!

我顾不上问这个电粉摔疼了没有，赶紧爬起来去营救弗雷德。

"谁来帮帮我！"弗雷德呼救。

我看到他了！大乔一伙把他抬到半空，想要扔进垃圾箱里去！那是门卫常用的垃圾箱，但盖子没有盖上。

我疲于应付电粉，压根儿没料到会有这样的事情发生，结果被搞了个措手不及。亏我还以为大乔一伙改邪归正了呢！哼！那简直就是要狮子改吃胡萝卜！

听我这么说，几个电粉向我投来不悦的目光。

但现在不是关注这个的时候，我得赶紧营救弗雷德。要不，我先来个虚张声势，吓吓敌人？

"放开他，否则……"

我伸出食指，摆出攻击的架势。大乔一伙愣住了。

"可你还没有充电呀,静电超人!"

"就是嘛!"

"原来如此!"

拜电粉们所赐,现在对手占了上风。

"行,静电超人,我们这就放开弗雷德,让他掉进垃圾箱里。一会儿再把你丢进去。"

有几个电粉从背包里拿出地毯,换上拖鞋,双脚在地毯上摩擦,然后带着少量静电朝大乔一伙冲去。虽然他们触碰敌人时也发出不少"噼啪"声,但对大乔一伙而言,这样的进攻就像被蚊子叮了几下似的,毫无威力。

看我的!我从唯一一名留在我身边保护我的电粉身上夺来地毯和拖鞋——没时间征求他的意见了。

眼看弗雷德就要被扔进垃圾箱,我迅速脱下鞋子——感谢速粘鞋带——换上拖鞋。哎哟,这些电粉的脚可真小!

我感觉静电逐渐充满我的身体,一阵熟悉的酥麻感袭来。我准备好了!

我单腿跪地,准备攻击。

凯莉偏偏在这个时候挡在我前面。她不是后卫吗?怎么跑到前面来了?她现在背对着我,双手叉腰,然后又朝大乔跑去,嘴里发出"噼啪、噼啪"的声音,紧接着又开始高唱《静电超人之歌》。总之,现场乱成一片。

最要命的是,她正好挡住了我的攻击目标。

"快走开!你快走开呀!"

如果我就这样开火,肯定会误伤电粉。

就在这时,一团火球从我头上呼啸而过。呀!好臭啊!一股浓重的硫黄味!

随着一阵震耳欲聋的爆炸声,这团火球在大乔一伙周围炸裂开来。他们一松手,弗雷德掉进了垃圾箱。

大乔一伙挣扎着爬起来,逃离了现场。电粉们纷纷跑来向我表示祝贺。弗雷德也从垃圾箱里探出头来,身上粘满垃圾。

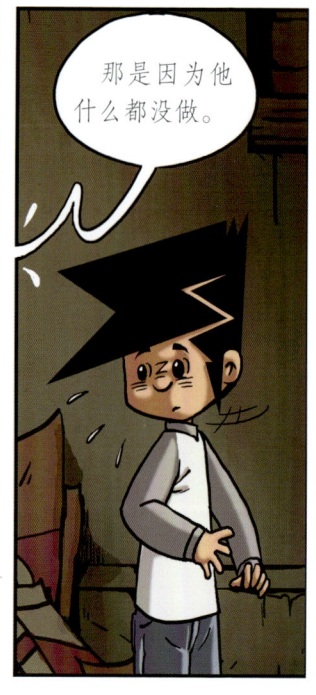

哇!静电超人,你真是身手敏捷啊!我都没看清楚你的动作。

那是因为他什么都没做。

我十分难堪,并且非常惊讶。在距离我一米远的地方,站着一个光头、跟我年龄相仿的男孩。他也穿着超人服,包括一件披风和一身深色连体服,甚至胸前也有标志。

我还注意到,他的两只手一上一下,掌心相对,拢着一团耀眼的火球。

男孩向我们微微屈身。

> 我叫保罗·马涅提克。很高兴营救你们。

第 4 章

保罗·马涅提克,姓名首字母是 P 和 M。

这两个鲜黄的字母,在他胸前和披风上闪闪发光。在披风上绣名字——这个主意不错,我怎么没有想到呢?回头我就请妈妈给我在披风上也绣个"CS"。如果没有记错的话,我好像在超人的披风上见过类似的字母,那就证明这个保罗·马涅提克不过是个爱学样的人。

他的胸前没有像我胸前那样画一道闪电,而是画着一个光芒四射的圆球。虽然我不太愿意承认,但不得不说,保罗·马涅提克看起来就像是静电超人的改良升级版。

我提高了警惕。上一次我以为遇见"超级女英雄",结果却变成了一场噩梦——我原以为的"盟友",其实是个"天敌"。那是弗丽斯小姐和大乔一伙导演的一场好戏,而我偏偏上了他们的当。

哼,保罗·马涅提克,好奇怪的名字!听起来也太俗气了吧?!

我看,他还不如叫保罗·马上滚蛋。

我打算持观望态度,可我的电粉们却等不及了,一窝蜂地围在保罗·马涅提克身边。保罗·马涅提克比他们高出一头。尽管他年龄和我一般大,但体格更加强壮。

电粉们看着保罗时的眼神,就像他们以前看我时的眼神一样。为什么我心里感觉这么别扭呢?

我才不是那种斤斤计较的人呢!我正准备把自己的签名笔借给他用,结果他从自己的披风暗袋里掏出一支来。我真有点儿看不惯这个家伙……

保罗·马涅提克直接把他的名字签在了电粉们的超人服上。最过分的是,他偏偏选择在静电超人的闪电符号上签名,而且用的还是洗不掉的签字笔。这简直是一种亵渎!只有弗雷德没有上前,反而后退了一步。

电粉们的崇拜心理得到了满足,他们嘴里聊着关于保罗·马涅提克的话题,兴高采烈地走远了。他们从我身边经过时,甚至没有抬头看我一眼。

我对他们的表现非常失望,但嘴上还是说:"下次见,朋友们!"

没有人搭理我,仿佛我是在对消防栓说话。凯莉连看都没有看我一眼,只有弗雷德冲我摆摆手。

另一位超级英雄的出现,让我又高兴又嫉妒。我向保罗·马涅提克走去。

你也想要我的签名?

不,谢谢。如果你想要我的签名,我正好也带了一支黑色签名笔。

我来得正是时候,不是吗?

在你来之前,我已经胜券在握了。

空气中弥漫着一股硫黄的味道。

嗅嗅

> 你还这么小,不应该有体味啊!

> 我们还没有正式自我介绍呢。我叫保罗·马涅提克。

我握住他的手,没想到他的手居然特别烫。我可不想让他看到我被烫得龇牙咧嘴的样子,于是装出一副镇定的模样。

既然我已经充了电,就给他来一点儿静电流好了。

我明显感到他的身体颤抖了一下。他活该!只不过,他手心的温度也明显在攀升。于是我又调高电量。我们就这样默默地较量着。

超级英雄之间也要讲究"礼尚往来"嘛!

我们不动声色,假装相安无事,可谁也不愿意先松手,好像那样做就输了。

这到底算是勇气还是傻气呢?

任何一个看见我们握手的人,都会发现我们的掌心在发光,两只握在一起的手通红通红的。

大颗大颗的汗珠从我额前滚落。我咬住嘴唇,忍受着疼痛,努力把注意力集中在身体其他部位而不是手上。我去牙医诊所拔牙的时候,就会一直想着我的大脚趾而不是牙齿。

佩内洛普的突然出现,终止了我们的无声较量。

我和保罗·马涅提克像是提前约好了一样,同时松开了手,但我们都受到了来自对方能量的冲击,同时往后退了几步。

承让承让!
彼此彼此!
你怎么来了，佩内洛普?
弗雷德把事情的经过都告诉了我，我是来看看你怎么样了。
佩内洛普，我在这儿呢!谢谢你的关心。
你不为我们介绍一下?
很高兴见到你，谢谢你救了我弟弟。

佩内洛普吸了吸鼻子。

> 很臭吧，对不对？
>
> 不，这个气味很好闻。

> 这是你的香水味吗？是什么牌子的？
>
> 这个嘛，算是我的个人"名片"吧……

我觉得，在这个光头神秘人物面前，我越来越没有存在感了。

大家都不说话。我得打破这尴尬的局面。

明天又是新的一天,保罗·马涅提克的事会成为过眼云烟。

"明天我们在学校见!"保罗·马涅提克说。他是说给佩内洛普听的,而不是我。

在学校见?难道保罗·马涅提克也在我们学校上学?

第 5 章

蝙蝠侠和超人小时候会去同一所学校上学吗?与他们朝夕相处的师生知不知道,他们用羞涩沉默的外表掩盖了地球英雄的真实身份?

可惜这种情况没有发生在我身上。我的身份是透明的。大家都知道,静电超人和查理·西马是同一个人。在我看来,这样也有好处——就算我没有穿超人服,也能享受超人的荣光。

自从有了电粉们的陪伴,我在校内外的知名度直线上升,直到昨天还是这样。今天早上,我独自一人随心所欲地走在路上,再也不用担心被哪位电粉绊倒——此前,他们总是簇拥在我周围。

来到学校,我在走廊上看见了好几拨交头接耳的同学。当我走到他们身边时,他们就不说话了,等我走远才重新开始交谈。

　　谣言很快就传得沸沸扬扬:学校里来了一个新的超级英雄!

　　谣言还说,静电超人甘拜下风,已经过气了。这让我十分生气。

　　要是把我画进漫画里,我的耳朵一定在冒烟。这个保罗·马涅提克,真叫人心烦!

是他吗？
不。他是查理·西马。
谁？
呃……就是静电超人。
真是个奇怪的名字！
没人知道保罗·马涅提克的真实身份。但是他亲口告诉我，他也在这所学校上学。
我想，他一定是个了不起的新英雄！

了不起的新英雄?这不是《静电超人之歌》中对我的赞美吗?我才是"了不起的新英雄"啊!

这时,我的身后响起一阵笑声……我转过身去。

保罗·马涅提克一身超人打扮出现在走廊里。

我是不是应该把舞台让给这位新人,然后在他的光环下渐渐消失?

如果他是我的盟友,我很愿意这样做。但是,我的直觉告诉我,事情没那么简单。要问为什么?因为……因为……反正就是这样!

保罗·马涅提克来到我跟前,向我伸出手。我只是微微对他点点头。

"怎么,你怕了吗,静电超人?"弗丽斯小姐跳到保罗·马涅提克身边,大声挑衅我。

她也穿了一身超人服!今天是什么日子?只要她快速转身,身上的飘带就会在空中翻飞。

跟在她身边的是她的粉丝团——大乔一伙。他们居然也打扮成了弗丽斯小姐的模样!

如果说弗丽斯小姐转起身来多少还有几分优雅可言,那她的崇拜者们完全就像迪士尼动画片里穿短裙跳芭蕾的河马,简直让人笑掉大牙!

大乔学着弗丽斯小姐转圈，结果把自己给转晕了，撞到同伙的身上。

> 我们能不能别又转又跳啊，安吉利库库？

> 人设就是这样的！还有，别这样叫我！

> 安吉利库库，你给自己找了一些同款女孩当玩伴？

她这明明就是抄袭了我们电粉团的做法！对了，我的电粉们去哪儿了？不然可以公开展示一下他们对我的忠心啊！唉，真到了要他们帮忙的时候，他们倒是不见了……

我应该学学弗丽斯小姐和保罗·马涅提克，直接穿超人服来上学。

我之所以拒绝和保罗·马涅提克握手,是因为我不想在众目睽睽之下与他对决。我那位聪明的朋友范·德·格拉夫早就说过,超级英雄要学会择机而战。我认为此刻没有开战的必要。

不过,我说的仅仅是"此刻"。

围在我们身边的人越来越多。大家都在等着看一场好戏。

保罗·马涅提克收回他的手,但并没有收回他的笑容。他是这个街区的新人,于是想好好利用他的新鲜度。我用余光瞄了一眼,发现佩内洛普也在围观的人群中。

我的心跳开始加速。事情果然没那么简单。

"你们可以来一场双英对决!"有人喊道。

"没错!"

"好主意!"

保罗·马涅提克把手一挥,大家都安静下来。些许火光闪现在他的双手之间。他用冷酷的眼神看着我。

我不怕与你对决。
我就盼着与你对决。
这个城市太小了,容不下两个超级英雄。
我随时恭候。
谁输了,谁就要放弃“超级英雄”的称号。

我们下意识地逼近对方,就像两个即将比赛的拳击手。

因为靠得太近,我可以感受到他那强大的能量场。我从来没有遭遇过像他这样的劲敌。

现在退却已经来不及了。我可不想颜面扫地。

我后退一步。保罗·马涅提克将右手的大拇指和食指指尖相合,再缓缓分开。一个弹珠大小的光球出现在他的指间。随后,他迅速将小球弹向我的胸前。

随着一阵轻微的爆裂声,那个小球炸开来,冲击力把我推倒在地。那感觉,就像被大乔撞倒在地一样。

这一幕,引起了大家的惊叹与讥笑。

"静电超人,我这不过是稍微给你透露一点儿剧情。"保罗·马涅提克对我说。

最让人恼火的是,电粉团偏偏在这个时候出现了。弗雷德慢吞吞地走在最后面。令人惊讶的是,除了弗雷德,他们穿的不再是静电超人服。

弗雷德挤过围观的人群,来到我身边。

静电超人,我会永远站在你这一边。

谢谢你,我忠诚的弗雷德。

电粉团不复存在。现在我们都是马涅提克的粉丝了!

哼!胡说八道!马涅提克甚至连句口号都没有!

失策。

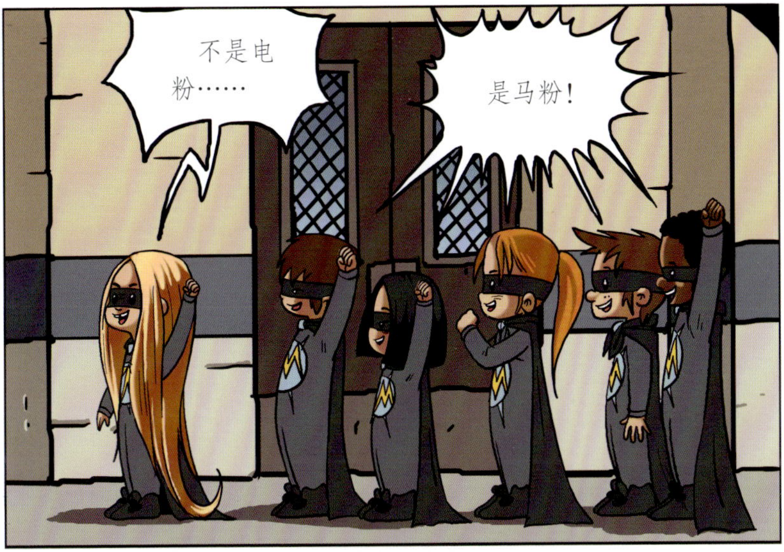
不是电粉……
是马粉！

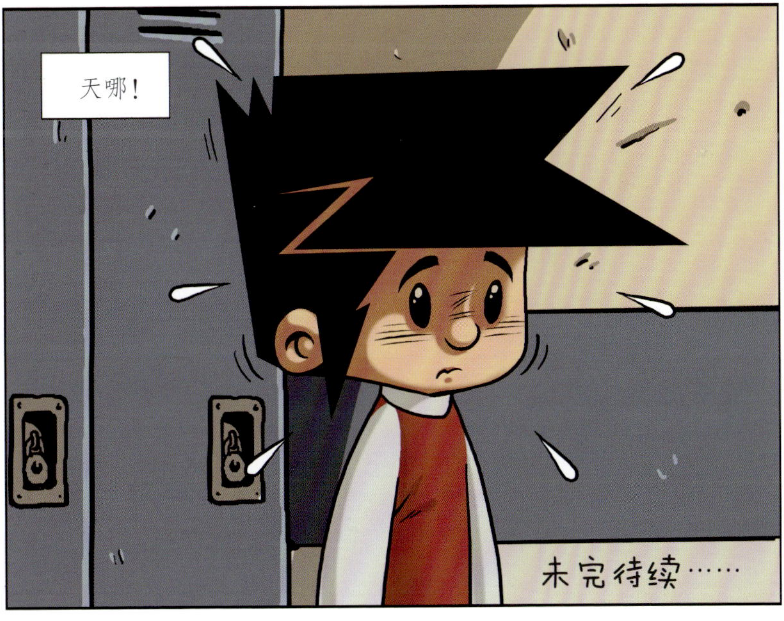
天哪！
未完待续……

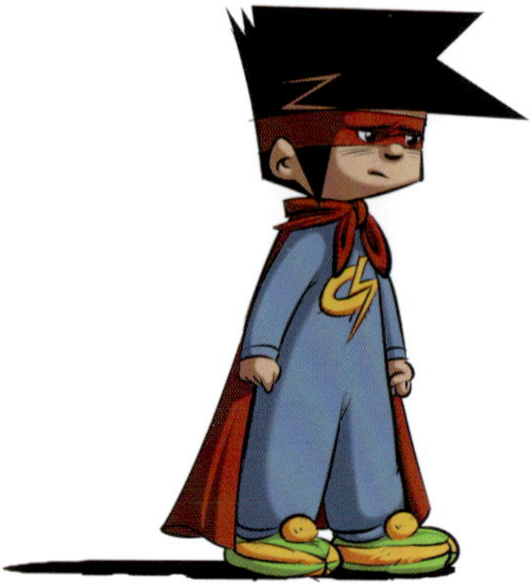